NAJPIĘKNIEJSZE BAŚNIE

Magiczne krzesiwo

NAJPIĘKNIEJSZE BAŚNIE

Magiczne krzesiwo

HANS CHRISTIAN ANDERSEN

ILUSTRACJE
PIERO CATTANEO

JEDNOŚĆ
dla dzieci

Pewnego razu Żołnierz wracał do domu z wojny. Szedł, pogwizdując wesoło. Nagle natknął się na staruszkę, która go zatrzymała i powiedziała:

– Witaj, piękny młodzieńcze! Czy chciałbyś zostać bogaty?

– Oczywiście! – odparł chłopak.

– Widzisz to drzewo? – zapytała kobieta (która tak naprawdę była czarownicą), wskazując potężne drzewo na skraju drogi. – W środku jest puste.

– Jeśli wejdziesz na sam wierzchołek, zobaczysz w pniu dziurę, przez którą będziesz mógł się prześliznąć do środka pnia, aż na sam dół. Przywiążę ci sznur wokół pasa, żeby cię wyciągnąć, kiedy mnie zawołasz.

– A co mam zrobić wewnątrz drzewa? – zapytał zdziwiony Żołnierz.

– Wziąć pieniądze! – odrzekła staruszka, po czym dodała: – Kiedy będziesz w środku drzewa, znajdziesz się w podziemiu oświetlonym przez ponad sto świec. Zobaczysz troje drzwi i będziesz mógł je otworzyć. Każde z nich prowadzą do pokoju. W pierwszym znajduje się skrzynia, na której leży zwinięty w kłębek pies ze ślepiami wielkimi jak talerze. Nie przejmuj się jednak, dam ci mój fartuch w kratę i kiedy rozłożysz go na podłodze, pies zejdzie ze skrzyni i położy się na nim, nie robiąc ci nic złego! Będziesz mógł otworzyć skrzynię, która jest pełna miedzianych monet i wziąć tyle, ile będziesz chciał.

– Jeśli wolisz monety srebrne, musisz pójść do drugiego pokoju – tłumaczyła. – Tam spotkasz psa o oczach wielkich jak młyńskie koła. On także położy się na fartuchu, który rozłożysz na ziemi, i nie skrzywdzi cię, a ty będziesz mógł wziąć tyle monet, ile będziesz chciał.

– Ale jeśli wolisz złoto, to będziesz musiał wejść do trzeciego pokoju – zaznaczyła. – Tam na skrzyni będzie leżał zwinięty w kłębek pies o oczach przeogromnych, każde z nich jest wielkie jak okrągła wieża. Pies, łagodny niczym baranek, pójdzie na mój fartuszek i tam też będziesz mógł wziąć tyle pieniędzy, ile będziesz chciał, a nawet więcej!

– Pomysł wydaje się całkiem ciekawy! – wykrzyknął Żołnierz. – Ale co chcesz w zamian?

– Och, prawie nic! Wystarczy, że mi przyniesiesz stare krzesiwo, które moja babka zostawiła tam na dole, kiedy zeszła ostatnim razem – odpowiedziała Czarownica.

– Zgoda – rzekł chłopak. – Daj mi
sznur i fartuch.

Wspiął się zwinnie na drzewo, zobaczył
w nim dziurę, wszedł do niej i zjechał w dół pnia,
który wewnątrz był pusty. Znalazł się w podziemiu.
Tak jak powiedziała Czarownica, paliło się w nim
ponad sto świec i było troje drzwi.

Otworzył pierwsze drzwi i wszedł do pomieszczenia. Na środku, na wieku skrzyni, leżał pies, który zaczął przyglądać mu się oczami wielkimi jak talerze. Jednak Żołnierz nie przeląkł się. Rozłożył na ziemi fartuch i pies przeniósł się na niego. Potem otworzył skrzynię, napełnił sobie kieszenie miedzianymi monetami, zamknął wieko, a pies znowu na nie wskoczył.

Żołnierz przeszedł do następnego pokoju. Był tam pies o oczach wielkich jak młyńskie koła.

– Dlaczego tak mi się przyglądasz? – wykrzyknął Żołnierz i rozłożył fartuch.

Pies położył się na fartuchu kobiety. Kiedy młodzieniec zobaczył srebro w skrzyni, wyrzucił monety miedziane i napełnił sobie kieszenie srebrnymi.

W końcu udał się do trzeciego pokoju, w którym pies rozglądał się dookoła oczami wielkimi jak wieże.

Żołnierz nie widział nigdy takiej bestii. Ogarnął go strach, ale gdy tylko rozłożył na podłodze fartuch, pies łagodnie zszedł ze swego legowiska i położył się na nim.

Żołnierz otworzył skrzynię i... mój Boże, ileż złota! Było tego tyle, że mógłby kupić sobie wszystkie słodycze i wszystkie zabawki, jakich zapragnąłby, a nawet całe swoje miasto, Kopenhagę.

Wyrzucił wszystkie srebrne monety, którymi miał wypchane kieszenie, i zaczął ładować tyle złota, że ledwo się poruszał. Teraz był naprawdę bogaty!

Pomógł wspiąć się psu na wieko skrzyni, wyszedł z pokoju, zamknął drzwi i przez otwór w pniu zawołał:

– Możesz mnie już wciągnąć na górę!

– A krzesiwo masz? – zapytała staruszka.

– A, prawda, zupełnie o tym zapomniałem – odparł chłopak i poszedł po kamień.

Czarownica wyciągnęła Żołnierza, który wrócił na drogę obładowany monetami – napchał ich do plecaka, kieszeni, butów, a nawet czapki.

– Daj mi krzemień! – rozkazała.

– A na co ci on? – zapytał.

– Nie twoja sprawa! Dostałeś złoto, więc oddaj mi krzesiwo.

– Jak mi nie powiesz, do czego służy, obetnę ci głowę szpadą! – wykrzyknął Żołnierz i sięgnął po broń. Przerażona Czarownica wzięła nogi za pas, gubiąc po drodze krzesiwo. Młodzieniec złożył wszystkie pieniądze w jej fartuchu, zarzucił go na plecy niczym tobołek, i z krzesiwem w kieszeni udał się w stronę miasta.

Na miejscu poszedł do najlepszej karczmy, poprosił o najlepszy pokój i zamówił wystawną kolację. Niczym się nie przejmował, w końcu był bogaty.

Służący, który czyścił mu buty, zdziwił się trochę, że tak bogata osoba nosi takie stare i zniszczone rzeczy, wcale nie pasujące do kogoś wytwornego, ale Żołnierz nie zdążył dotąd kupić sobie nowych.

Następnego dnia kupił eleganckie buty i piękne ubrania odpowiadające jego pozycji. Teraz był już naprawdę wytwornym człowiekiem.

Ludzie opowiadali mu wszystkie cudowne historie o mieście i córce Króla, przepięknej Królewnie.
– Gdzie mam pójść, żeby ją spotkać? – zapytał Żołnierz.

Odpowiedzieli mu: – Mieszka w zamku z miedzi, otoczonym przez liczne mury i sto wież. Nikt oprócz ojca nie może jej odwiedzać, ponieważ istnieje przepowiednia, że poślubi zwykłego żołnierza, a to się nie podoba Królowi.

Żołnierz zapragnął zobaczyć ją, ale było to niemożliwe. Każdego wieczoru chodził do teatru, za dnia urządzał sobie przejażdżki karocą i obdarowywał biedaków jałmużną, jako że wciąż pamiętał, jak to źle być bez pieniędzy.

Teraz, kiedy był bogaty, miał wielu przyjaciół, którzy go lubili i szanowali. Bardzo go to cieszyło.

Ponieważ każdego dnia wydawał pieniądze, ale ich nie zarabiał, z biegiem czasu zostały mu tylko dwa soldy. Musiał więc przenieść się do nędznego pokoiku na poddaszu.

Z czasem musiał też czyścić sobie sam buty, a wkrótce reperował je krzywą igłą znalezioną w dziurawym materacu swojego posłania. Przyjaciele przestali go odwiedzać. Pewnego wieczoru znalazł się w nieprzeniknionych ciemnościach, ponieważ nie mógł sobie nawet pozwolić na kupno świeczki. Wtedy przypomniał sobie o krzesiwie, które zabrał z podziemi, do których wysłała go Czarownica. Do krzesiwa przymocowana była hubka, dzięki której mógł rozpalić ogień.

Wyjął z kieszeni krzesiwo, uderzył nim o krzemień i w chwili, gdy poleciały iskry, otworzyły się na oścież drzwi od pokoju i stanął w nich pies z oczami wielkimi jak talerze – ten sam, którego widział w podziemiach drzewa.

– Czego sobie życzysz mój panie? – zapytało zwierzę.

– A to ci dopiero! – wykrzyknął zdziwiony Żołnierz. – A to niespodzianka! Widzę, że dzięki temu krzesiwu mogę dostać wszystko, co zechcę! – i zwracając się do psa, rzekł: – Przynieś mi trochę denarów!

Pies pognał jak wiatr i w mgnieniu oka powrócił, trzymając w zębach wielki wór pełen pieniędzy. Teraz Żołnierz odkrył, że krzesiwo miało magiczną moc. Gdy uderzył nim raz, zjawiał się pies, który spał na skrzyni z miedzianymi monetami. Gdy uderzył dwa razy, zjawiał się pies od srebrnych monet, a gdy uderzył trzy razy – ten od złotych monet. Młodzieniec mógł powrócić do luksusowej komnaty, którą zajmował wcześniej, a wszyscy rzekomi przyjaciele przypomnieli sobie o nim i znowu go odwiedzali. Pewnego dnia pomyślał:

– Szkoda, żeby Królewna tkwiła zamknięta w miedzianym zamku! Wszyscy mówią, że jest taka piękna! Czy to możliwe, abym nie mógł jej zobaczyć chociaż raz? Może krzesiwo mi w tym dopomoże!?

Uderzył krzesiwem o krzemień i niczym błyskawica zjawił się pies o oczach jak talerze.

– Pragnę zobaczyć Królewnę, chociaż przez minutę, umieram z pragnienia spotkania jej! – powiedział Żołnierz.

Pies natychmiast wyskoczył za drzwi i w mgnieniu oka wrócił ze śpiącą Królewną na grzbiecie. Była to dziewczyna tak piękna, że chłopak nawet nie zdołał jej pocałować. Pies pobiegł z Królewną z powrotem do zamku.

Następnego ranka, gdy Król i Królowa jedli śniadanie, córka opowiedziała im swój dziwny sen: przybiegł pies i zabrał ją do jakiegoś żołnierza, który ją pocałował.

– A to ci sen! – wykrzyknęła Królowa.

Wieczorem starszą damę
do towarzystwa posadzono
blisko łóżka Królewny, aby
sprawdzić, czy chodziło tylko o sen.

Żołnierz również tej nocy płonął żądzą zobaczenia Królewny. Znowu pies puścił się pędem i w mgnieniu oka z nią wrócił. Pilnującej jej starej kobiecie udało się dogonić psa, który zniknął za drzwiami wielkiego domu. Kawałkiem kredy zaznaczyła krzyż na drzwiach tego domu i wróciła do zamku.

Kiedy pies wracał z Królewną do zamku, zauważył,
że przy wejściu był zaznaczony krzyż, wziął więc kredę i na-
rysował krzyże na wszystkich drzwiach po drodze. Wiedział,

że dzięki temu ktoś, kto oznaczył drzwi, nie będzie mógł znaleźć ich ponownie. Następnego dnia, o świcie, Król i Królowa w otoczeniu dworzan poszli zobaczyć, gdzie została zaprowadzona Królewna minionej nocy. – Oto jesteśmy! – wykrzyknął Król, gdy zobaczył krzyż na drzwiach.

– Tu też jest znak! – odpowiedziała Królowa, wskazując następne drzwi.

– Tu też jest! I tam! I tam! – krzyczeli jeden przez drugiego dworzanie na widok kolejnych krzyży.

Dalsze poszukiwania okazały się bezcelowe!

Królowa, która była bardzo przebiegłą kobietą, uszyła jedwabny woreczek i nasypała do niego mąki. Następnie przyczepiła go do pleców córki. Na koniec zrobiła małą dziurkę w woreczku, po to, żeby wysypująca się mąka zaznaczyła drogę. W nocy pies wrócił po Królewnę. Nie zorientował się, że przez całą drogę mąka wysypywała się cienkim strumieniem, wskazując drogę do pokoju Żołnierza.

Żołnierz stracił głowę dla Królewny. Bardzo przeżywał, że nie jest księciem i że nie będzie mógł jej poślubić.

Następnego ranka Król i Królowa ruszyli drogą wyznaczoną przez mąkę. Wkrótce dotarli do miejsca, w którym była ich córka. Żołnierza aresztowano i zamknięto w więzieniu. Szybko usłyszał okrutny wyrok: – Jutro zostaniesz powieszony! Nie do śmiechu było biedakowi, a co gorsza, zapomniał zabrać ze sobą krzesiwo. Nazajutrz, przez kratę w malutkim okienku widział ludzi, którzy biegli, żeby zająć dogodną pozycję w pobliżu miejsca stracenia. Słyszał złowieszczy rytm wybijany na bębnach i maszerujących żołnierzy.

Dobre miejsce w tłumie chciał zająć również pomocnik szewca. Nosił skórzany fartuch i buty tak wielkie, że podczas biegu jeden spadł mu z nogi i uderzył w kratę okna, przez które wyglądał Żołnierz. Skazaniec krzyknął do szewczyka:

– Hej chłopcze! Dokąd ci tak śpieszno? I tak beze mnie nie rozpoczną! Jeśli pobiegniesz do mojego pokoju i przyniesiesz mi moje krzesiwo, dam ci cztery soldy.

Pomocnik szewca, dla którego cztery soldy były niemałą sumką, popędził po krzesiwo, przyniósł je Żołnierzowi i... teraz słuchajcie dokładnie, co się wydarzyło.

Szubienicę wzniesiono na obrzeżach miasteczka. Wokół stali zebrani żołnierze i setki widzów. Król i Królowa siedzieli na tronie, obok nich miejsca zajęli sędziowie i Rada Królewska.

Żołnierz wszedł na podium i kiedy kat zakładał mu pętlę na szyję, powiedział:

– Spełnijcie, jak zwyczaj nakazuje, ostatnie życzenie biednego skazańca! Pozwólcie mi wypalić fajkę!

Król wyraził zgodę. Żołnierz wyjął z kieszeni krzesiwo i uderzył w kamień, żeby wzniecić ogień: raz, dwa, trzy razy. I natychmiast zjawiły się trzy psy: ten z oczami jak talerze, ten z oczami wielkimi jak młyńskie koła i ten z oczami jak wieże.

– Pomóżcie mi! – zawołał do nich Żołnierz. – Nie pozwólcie, żeby mnie powiesili!

Psy rzuciły się na sędziów, na Radę Królewską, Króla, Królową... Wszyscy padli na ziemię przerażeni.

Straż zamarła ze strachu, a zebrany lud zaczął wołać:

– Żołnierzu! Ty zostań naszym królem i poślub naszą piękną Królewnę!

Żołnierze prze-
kazali mu broń i po-
mogli wsiąść do królewskiej
karocy. Na czele świty biegły psy, a wszyscy w drodze
powrotnej do miasta głośno wołali:
– Niech żyje! Niech żyje!
Królewna opuściła miedziany zamek i poślubiła Żołnierza. Uczta weselna trwała cały tydzień, a psy siedziały
za stołem razem z zaproszonymi gośćmi i wytrzeszczały
swoje wielkie ślepia.

Tłumaczenie:
Anna Gabryszewska-Konieczny

Redakcja i korekta:
Inga Pamuła

Skład i łamanie:
Studio graficzne, Wydawnictwo JEDNOŚĆ

Projekt okładki:
Edyta Borzych

ISBN 978-83-7660-335-3

Wydawnictwo JEDNOŚĆ
25-013 Kielce, ul. Jana Pawła II nr 4
Dział sprzedaży: tel. 41 349 50 50
Redakcja: tel. 41 349 50 00
www.jednosc.com.pl
e-mail: jednosc@jednosc.com.pl

Drukarnia im. A. Półtawskiego
www.drukarnia.kielce.pl